TEXTE : GILBERT DELAHAYE
IMAGES : MARCEL MARLIER

martine
et son ami le moineau

Ceci est une histoire vraie.
Pierrot le moineau a réellement existé.

casterman

© Casterman 1980
Droits de traduction et de reproduction réservés pour tous pays. Toute
reproduction, même partielle, de cet ouvrage est interdite. Une copie ou
reproduction par quelque procédé que ce soit, photographie, microfilm, bande
magnétique, disque ou autre, constitue une contrefaçon passible des peines
prévues par la loi du 11 mars 1957 sur la protection des droits d'auteur.

Moustache le chat ne rêve que nids, plumes et moineaux. Dès qu'on a le dos tourné, il grimpe aux arbres. Il se prend pour un acrobate.

— Tiens, un nid de moineaux!

Moustache saute... et manque son élan. Le nid tombe. On entend des pépiements affolés dans le jardin.

— Que se passe-t-il?...

— C'est le chat. Il a renversé le nid.

— Tu seras puni, Moustache, dit Martine...

Dans le nid, on trouve un oiseau, un seul oiseau tout petit.

— Nous l'appellerons Pierrot.

— Il est drôle, ce canari! s'exclame Patapouf.

— C'est un moineau, gros benêt!... un jeune.

— Il n'est pas beau. Il n'a presque pas de plumes et il tient à peine sur ses pattes.

— Quand il sera grand, il volera.

— Il tremble de faim et de froid, dit Martine. Il faut s'en occuper tout de suite.

Le garder à la maison? Le nourrir?

Oui... mais... comment?

Papa a dit : « On n'élève pas un moineau comme une souris blanche. »

— Où va-t-on le mettre ?
Dans ce chapeau de jardinier.
Le jeune moineau orphelin crie famine. Il ouvre un grand bec.

— Je vais lui donner à manger dans une soucoupe ?

— Penses-tu ! Les oiseaux déposent la nourriture dans le bec de leurs petits, explique papa.

— Combien de fois par jour ?

— Les petits des oiseaux ont toujours faim.

— Qu'est-ce que ça mange, un moineau? Du pain? De la salade?

— Surtout pas! Celui-ci est trop jeune!... Il faut lui préparer du jaune d'œuf cuit et de la viande hachée.

— Comment ferons-nous pour donner la becquée?

— Essayez avec une allumette.

— Et qu'allons-nous lui donner à boire?

— De l'eau... quelques gouttes, ça suffit.

— On n'en sortira jamais! dit Martine... Et quand les vacances seront finies, qui s'occupera de notre Pierrot?

— Chacun son tour. On s'arrangera.

Rien ne bouge... On enten-
drait goutter un robinet.

Le moineau rassasié dort dans son
chapeau. Laissons-le tranquille!...

— Ne réveille pas mon oiseau! fait Patapouf.

— Ce n'est pas ton oiseau! dit le chat... C'est moi qui l'ai
trouvé le premier.

— File de là! Tu n'as rien à faire ici!

— C'est bon, c'est bon! En voilà une histoire pour un
moineau de rien du tout!

Les semaines passent. L'oiseau prend des forces.

— Gentil Pierrot, voleras-tu bientôt?

Déjà il tient ferme sur ses pattes. Il sautille. Il fait des bonds de puce.

Quand on grandit, on veut tout connaître. On tire sur les cheveux. On donne des coups de bec.

Les ailes poussent. Les plumes vous démangent.

On s'amuse. On fait sa toilette.

— Un moineau, c'est rigolo! Ça bouge tout le temps, dit Patapouf.

Personne à la maison. Par la porte ouverte, Pierrot s'enfuit dans le jardin.

Il court, il court en battant des ailes.

Il arrive dans le poulailler, tout essoufflé :

— Je crois que je vais m'envoler !

— Mais non, mais non, répond la poule. Tu n'es qu'un oisillon prétentieux !

— Et toi, une grosse mémère aux yeux ronds !

— En voilà un effronté ! lance le coq en train de surveiller la volaille... Où est-ce que tu habites ?

— A la cuisine avec Martine.

— A la cuisine ?... Il est amusant, ce moineau !

Pierrot devient de plus en plus espiègle. Il agace le serin.

— Serin, à quoi penses-tu?

— C'est mon affaire!

— Qu'est-ce que tu as mangé? Tu es tout jaune!

— Et toi, tout gris. Tu ne sais pas siffler.

— Siffler?... A quoi ça sert?

— En tout cas, moi, je n'ai pas peur du chat!

— Vous avez fini de vous disputer? crie Martine.

Pierrot n'arrête pas de grandir. Il fait des progrès. Ses ailes s'allongent de jour en jour.

On ne le reconnaît plus tellement il a changé. Les petits voisins sont venus l'admirer.

— Il a l'air malin! Son œil brille.

— Tu n'as pas peur qu'il s'échappe, Martine?

— Il va bientôt s'envoler... Tu ne pourras plus le garder dans la salle à manger.

— L'autre jour, dit Martine, il s'est enfui au poulailler. Il est revenu tout seul. Il connaît le chemin.

— Quand il volera pour de vrai, ce sera bien autre chose!

— Si je tends la main, viendra-t-il se poser dedans? demande Nicole.

— Pourquoi pas? Pierrot n'est pas farouche.

On ne bouge plus. On attend qu'il se décide.

Mais Pierrot a disparu sans crier gare... Il vole sous les chaises et dans le hall. On le croit à la cuisine? Il est dans la salle de bains. Non... Sous la table de la salle à manger.

La nuit tombe. C'est l'heure d'aller dormir.

— Où donc est passé Pierrot ?

— Il n'est pas à la maison ! dit Jean.

Martine accourt. On fait des recherches dans le jardin.
On fouille le moindre recoin :

— Pierrot, Pierrot, es-tu là ?

— Peut-être Moustache...

Non, vraiment, Mous-
tache ne sait rien.

Papa dit toujours : « Un moineau, c'est gentil mais ça vole partout... Et puis c'est imprudent, espiègle et fragile. Pierrot n'a pas d'expérience. »

Comment dormir quand il n'est pas là ?

    — S'il pleut cette nuit, pense Martine, Pierrot sera mouillé... Dans le noir, il se perdra...

Elle attend. Elle s'inquiète.

    — Il finira bien par revenir, dit Moustache.

Mais peut-on se fier au chat ? Il a des allures de rôdeur. Ses yeux clignotent comme des lanternes. Il rase les tuiles.

Le lendemain matin à la cuisine.

Quel est ce bruit dans le buffet ?

Toc toc toc... Toc toc toc...

Martine ouvre la porte à deux battants...

Et devinez qui donne des coups de bec contre une casse-
role ? Pierrot, bien sûr !

— Pierrot !... Nous t'avons cherché partout !...

Quelle chance! On a retrouvé le moineau. Jean l'étourdi l'avait enfermé dans le buffet par mégarde.

Et s'il s'était agi du réfrigérateur?

Pierrot, mes amis, l'a échappé belle!...

Mais il est temps d'aller à l'école. Martine saute sur sa bicyclette. Vite, en route!

Pierrot la suit. Il bat des ailes comme un fou :

— Regarde, je vole, je vole...

— Allons, laisse-moi! Retourne à la maison!

A l'école, tout le monde s'est assis à sa place.

Il fait beau. On a laissé la fenêtre ouverte. Pourvu que Pierrot...

La leçon commence :

— Comment trouver la surface du rectangle ?

— Pour calculer la surface du rectangle, on multiplie la longueur par la largeur...

On entend des chuchotements. Quelqu'un se met à rire.

— Eh bien ? demande la maîtresse.

— Mademoiselle, il y a un oiseau dans la classe !

— Tchip-tchip !... Tchip ! fait Pierrot à tue-tête.

— Un oiseau ?... D'où vient-il ?...

— C'est celui de Martine.

— Il m'a suivie jusqu'ici, dit Martine. Et il est entré par la fenêtre... Je n'ai pas pu l'en empêcher.

L'institutrice fait sortir l'oiseau. Referme la fenêtre :

— Pas de moineau dans l'école !... Pierrot est grand maintenant. Un moineau, ça doit vivre dans la nature.

Tous les jeudis, en classe, on dessine.

Cette fois, l'institutrice a proposé :

— Faisons le portrait d'un oiseau...

Un oiseau ? C'est facile, quand on a l'habitude !... Martine a déjà fini.

Elle rêve : « La maîtresse a raison. Garder chez soi un moineau qui sort du nid, c'est très bien. On peut le tenir au chaud, le soigner, l'apprivoiser. Maintenant que Pierrot ne tient plus en place, il vaudrait mieux qu'il apprenne à se débrouiller tout seul. Ce serait plus normal. »

Depuis ce jour-là, Pierrot ne taquine plus le serin. Il ne se cache plus sous la table de la salle à manger. Il se nourrit de graines. Il voltige dans le jardin, un brin de paille au bec. On le voit se baigner, se rouler dans la poussière. Souvent il vient picorer les miettes sur la table de la terrasse ou boire à la fontaine.

Il guette Moustache le chat qui le surveille.

Martine est fière de lui.

Pierrot est devenu un moineau pour de bon.

Imprimé en Belgique par Casterman, s.a., Tournai. Dépôt légal : 4ᵉ trimestre 1980 ; D. 1986/0053/90.
Déposé au Ministère de la Justice, Paris (loi nº 49.956 du 16 juillet 1949 sur les publications destinées à la jeunesse).